EL PONI DE BARRO

Un cuento tradicional Skidi Pawnee

Relatado por Caron Lee Cohen
Ilustrado por Shonto Begay
Traducido por Teresa Mlawer

SCHOLASTIC INC.
New York Toronto London Auckland Sydney
Mexico City New Delhi Hong Kong Buenos Aires

Agradecimientos

El *poni de barro* es uno de los cuentos más antiguos de historias de niños héroes que circulaban entre la banda Skidi de los indios Pawnee de las praderas americanas. Estas historias reflejan la creencia de los Pawnee que el sendero hacia el honor está abierto para todos los que poseen la virtud de la perseverancia y un espíritu humilde, sin tener en consideración sus orígenes. Esta versión de *El poni de barro* ha sido adaptada de un cuento más extenso de la colección de George A. Dorsey, quien recopiló las tradiciones y los cuentos de los Skidi Pawnee entre los años 1899 y 1902. La historia le fue relatada a él por Becerro-Amarillo.

El autor agradece profundamente a la Sociedad Histórica del Estado de Nebraska, al Museo de Ciencias de Boston, al Museo Americano de Historia Natural, y a innumerables sucursales y departamentos de la biblioteca pública de Nueva York por la ayuda recibida en la preparación de este libro. Un agradecimiento especial al Dr. James Smith, del Museo del Indio Americano de la ciudad de Nueva York, por su incalculable ayuda.

Original title: The Mud Pony

ISBN 0-590-46341-1
ISBN 0-590-29331-1
Text copyright © 1988 by Caron Lee Cohen.
Illustrations copyright © 1988 by Shonto Begay.
Translation copyright © 1992 by Scholastic Inc.
All rights reserved. Published by Scholastic Inc.
MARIPOSA is a trademark of Scholastic Inc.

2 3 4 5 6 7 8 9 10   08   07
Printed in the U.S.A.

First Scholastic printing, November 1992
Original edition: September 1988

Para mi esposo Bill, con amor
— C.L.C.

En memoria de mi hermano Nelson
y mi hermana Dorothy
— S.B.

H ABÍA UNA VEZ un niño pobre en un campamento indio que observaba cómo los otros niños daban de beber agua a sus ponis en el riachuelo. Lo que él más deseaba en el mundo era tener su propio poni.

Entonces el niño cruzó el riachuelo, excavó la tierra mojada y formó la figura de un poni de barro. Le moldeó la cara con arcilla blanca. Quería mucho a su poni. Todos los días lo iba a buscar y lo cuidaba como si fuese real.

Un día, mientras el niño estaba con su poni de barro, llegaron unos guías al campamento. — Hemos divisado búfalos hace varios días en dirección oeste — dijeron. Entonces levantaron el campamento, ya que si no iban a la caza del búfalo se morirían de hambre en los próximos meses. Los padres del niño lo buscaron por todas partes pero no lo pudieron encontrar. Finalmente tuvieron que partir sin él.

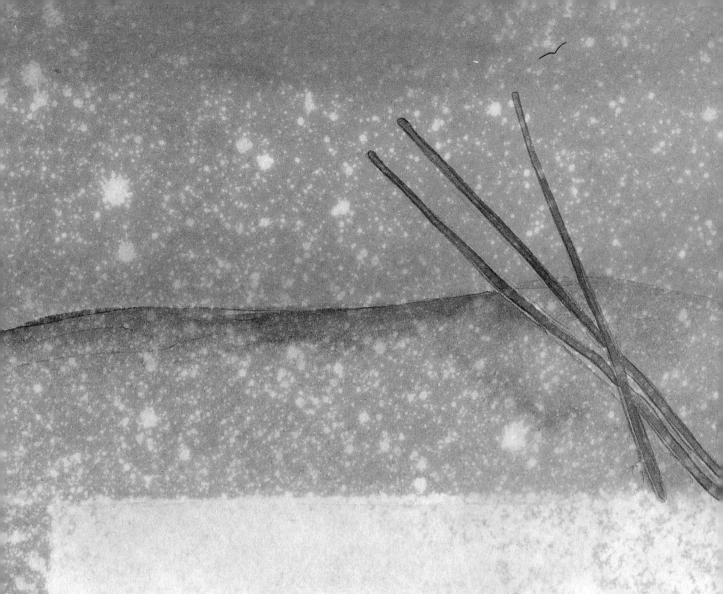

Cuando el niño regresó al campamento, vio que todo
el mundo se había marchado. — ¡Mi gente! — gritó —.
¡Nunca los encontraré! ¡Estoy solo! Deambuló por todo el
campamento desconsolado y hambriento, recogiendo res-
tos de carne seca, y una manta vieja raída que alguien
había abandonado. Comió, y se arropó con la manta hasta
que el llanto lo rindió.

Mientras dormía, soñó que su poni de barro estaba
vivo y le decía: — Hijo, no estás solo — . Soy un regalo de
la Madre Tierra. Soy parte de ella.

Cuando el niño se despertó al amanecer y vio el campamento vacío, comenzó a llamar a su gente. Entonces fue junto a su poni de barro y casi no podía creer lo que veían sus ojos. El poni de la cara blanca estaba vivo, sacudiendo sus crines y escarbando la tierra.

El poni le habló como lo había hecho en su sueño:
— Hijo, no estás solo — . Soy un regalo de la Madre Tierra. Soy parte de ella. Debes hacer lo que te digo, y un día serás el jefe de tu pueblo. Ellos están muy lejos. Súbete a mi lomo y te llevaré a su lado. No trates de guiarme; yo sé el camino que debo seguir.

Durante tres días viajaron por las praderas. El niño
estaba agotado y hambriento, pero no se daba por
vencido; dejó que el poni lo llevara.

A la tercera noche, el niño vio salir humo de las tiendas de un campamento. Habían llegado junto a su gente.

— Ve y busca a tus padres — le dijo el poni —, pero regresa antes del amanecer; todavía no ha llegado la hora de que los otros te vean. Te estaré esperando en la colina. Y ahora, cúbreme con la manta para protegerme de la lluvia, pues soy parte de la Madre Tierra.

El niño llegó hasta el campamento. Buscó entre las
tiendas hasta que encontró la más pequeña. Entró y arrojó
hierba seca en el fuego hasta que se levantó una hoguera.
A la luz del fuego pudo distinguir a su madre y la despertó.

— Aquí estoy, — le dijo.

Ella lo acarició y los ojos se le llenaron de lágrimas.
Entonces el padre se despertó y se maravilló al ver cómo
su hijo los había encontrado a pesar de lo lejos que
habían viajado.

Antes del amanecer, el niño les dijo a sus padres:
— Tengo que irme — . Debo marchar solo. Los dejó, pero
desde la colina se quedó mirando como levantaban el
campamento para continuar la búsqueda del búfalo.
Finalmente desaparecieron.

Durante tres días el niño y el poni viajaron por las
praderas. El niño estaba fatigado y no tenía que comer,
pero continuó su camino.

Finalmente, a la tercera noche vio un campamento en la distancia: — Ahí está tu gente, — le dijo el poni — . Es tiempo de que te reúnas con ellos. Guíame hacia el campamento.

Así lo hizo el niño, y todos salieron de sus tiendas asombrados al verlo.

Un guerrero indio lo invitó a entrar en su tienda. Había sopa y carne seca y dos cucharas de cuernos de búfalo en un cuenco de madera. Comieron juntos.

— ¡*Nawa, tiki!* — le saludó el jefe guerrero —. Viajaste
por tierra desconocida, solo y sin comida, y nos encon-
traste. Posees un don, un gran poder. Ahora debes ayudar
a nuestra gente. Nuestro enemigo nos ha atacado cuando
íbamos hacia el oeste y hemos perdido muchos hombres,
lo que no nos ha permitido llegar hasta el búfalo. Al amanecer deberás unirte a nosotros en la lucha.

Cuando el niño salió de la tienda, temblaba. Pero el poni le habló: — Hijo, no tengas miedo — . Yo soy parte de la Madre Tierra. Las lanzas del enemigo nunca podrán penetrar la tierra. Cúbrete el cuerpo con ella y nada te pasará.

Al amanecer se cubrió el cuerpo con tierra y cabalgó directamente hacia la batalla. La lucha fue dura pero logró la victoria para su pueblo. Al fin eran libres para cazar y el niño, cabalgando sobre su poni de cara blanca, los guió, capturando más búfalos que cualquiera de los hombres.

Pasaron los años y el niño se dejaba guiar siempre por el poni. Fue un buen líder. ¡Finalmente, lo nombraron jefe! Poseía un corral con los mejores caballos, pero el poni de cara blanca era su más preciado tesoro. Le adornó la crin y la cola con plumas de águila. Y todas las noches, con mucho cuidado, lo cubría con una manta para protegerlo de la lluvia.

Una noche, mientras dormía, se le apareció el poni en un sueño: — Hijo, ahora eres el jefe de tu pueblo, con todo el poder de la Madre Tierra — . El poder te lo da la Madre Tierra y no yo. Yo soy parte de ella y ya es el momento de que regrese a ella. Debes dejarme ir.

El jefe se levantó en la noche y fue a ver a su poni, que al verlo escarbó la tierra y sacudió su crin en el viento

— Toma mi manta, — le dijo el poni. Así lo hizo él y regresó a su tienda.

Justo antes del amanecer lo despertaron los fuertes
vientos y la intensa lluvia. Corrió hacia el corral y buscó a
su poni de cara blanca por todas partes pero no lo pudo
encontrar.

Y con la luz del día reflejada sobre la tierra mojada, el jefe vio una mancha de arcilla blanca. A través del viento pudo escuchar una voz que le decía:

— Aquí estoy, tu Madre Tierra —. ¡No estás solo!